THE DEFINI

EVERLY
BROTHERS
CHORD
SONGBOOK

Wise Publications
London/New York/Paris/Sydney/Copenhagen/Berlin/Madrid/Tokyo

Exclusive Distributors:

Music Sales Limited
14-15 Berners Street,
London W1T 3LJ, England.
Music Sales Pty Limited
20 Resolution Drive,
Caringbah, NSW 2229, Australia.

Order No. AM975623
ISBN 0-7119-9689-X
This book © Copyright 2002 by Wise Publications.

Compiled by Nick Crispin.
Music arranged by James Dean & Jonny Lattimer.
Music engraved by Andrew Shiels.

Cover photograph: Michael Ochs Archives/Redferns.

Printed in the United Kingdom by
Caligraving Limited, Thetford, Nolfolk.

Your Guarantee of Quality
As publishers, we strive to produce every book
to the highest commercial standards.
This book has been carefully designed to minimise awkward
page turns and to make playing from it a real pleasure.
Particular care has been given to specifying acid-free,
neutral-sized paper made from pulps which have not been
elemental chlorine bleached. This pulp is from farmed sustainable
forests and was produced with special regard for the environment.
Throughout, the printing and binding have been planned to
ensure a sturdy, attractive publication which should give years
of enjoyment. If your copy fails to meet our high standards,
please inform us and we will gladly replace it.

www.musicsales.com

All I Have To Do Is Dream

Words & Music by
Boudleaux Bryant

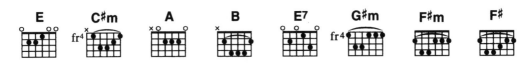

Intro

E   E C#m A   B
Dream, dream, dream, dream,

E C#m A   B
Dream, dream, dream, dream

Verse 1

       E   C#m A   B
When I want you   in my arms,

       E   C#m A   B
When I want you   and all your charms,

       E   C#m   A   B
Whenever I want you all I have to do is,

E C#m A   B
Dream, dream, dream, dream.

Verse 2

       E   C#m A   B
When I feel blue   in the night,

       E   C#m A   B
And I need you   to hold me tight,

       E   C#m   A   B
Whenever I want you all I have to do is,

E   A   E   E7
Dream.

Chorus 1

A
I can make you mine,

G#m
Taste your lips of wine

F#m   B   E   E7
Anytime   night or day

A   G#m
Only trouble is,   gee whiz

     F#   B
I'm dreaming my life away.

Verse 3

```
     E       C#m A          B
I need you so     that I could die,

     E       C#m A          B
I love you so     and that is why,

       E     C#m      A        B
Whenever I want you all I have to do is

E C#m  A            B
Dream, dream, dream, dream,

E       A     E      E7
Dream.
```

Chorus 2

```
A
I can make you mine,

G#m
Taste your lips of wine

F#m      B        E      E7
Anytime    night or day

A            G#m
Only trouble is,    gee whiz

    F#               B
I'm dreaming my life away.
```

Verse 4

```
     E       C#m A          B
I need you so     that I could die,

     E       C#m A          B
I love you so     and that is why,

       E     C#m      A        B
Whenever I want you all I have to do is

E C#m  A            B
Dream, dream, dream, dream,

E C#m  A            B
Dream, dream, dream, dream.    Repeat to fade
```

Bird Dog

Words & Music by
Boudleaux Bryant

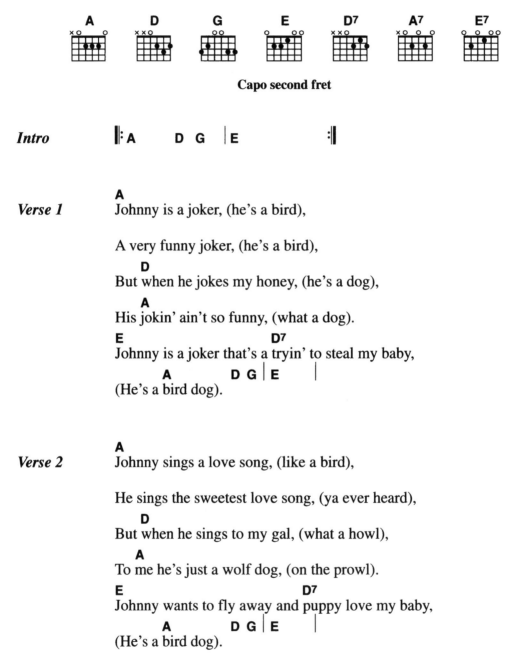

Capo second fret

Intro ‖: A   D G │ E   :‖

Verse 1

A
Johnny is a joker, (he's a bird),

A very funny joker, (he's a bird),
   D
But when he jokes my honey, (he's a dog),
   A
His jokin' ain't so funny, (what a dog).
E   **D7**
Johnny is a joker that's a tryin' to steal my baby,
       A   **D G**│**E**   │
(He's a bird dog).

Verse 2

A
Johnny sings a love song, (like a bird),

He sings the sweetest love song, (ya ever heard),
   D
But when he sings to my gal, (what a howl),
   A
To me he's just a wolf dog, (on the prowl).
E   **D7**
Johnny wants to fly away and puppy love my baby,
       A   **D G**│**E**   │
(He's a bird dog).

Chorus 1

D⁷
Hey, bird dog get away from my quail,

A⁷
Hey, bird dog you're on the wrong trail,

E⁷   **D⁷**   **A⁷**
Bird dog you better leave my lovey dove alone.

D⁷
Hey, bird dog get away from my chick,

A⁷
Hey, bird dog you better get away quick,

E   **D⁷**   **A**   **D G** **| E**   **|**
Bird dog you better find a chicken little of your own.

| A **D G** **| E** **|**

Verse 3

A
Johnny kissed the teacher, (he's a bird),

He tiptoed up to reach her, (he's a bird),

  D
Well he's the teacher's pet now, (he's a dog)

  A
What he wants he can get now, (what a dog).

  E   **D⁷**
He even made the teacher let him sit next to my baby,

  A   **D G** **| E** **|**
(He's a bird dog).

Chorus 2   As Chorus 1

        to fade

Bye Bye Love

Words & Music by
Boudleaux & Felice Bryant

| A5 | C | D | A | E | A7 |

Intro ‖: A5 C D │ A5 :‖

Chorus 1

D   A
Bye bye love,

D   A
Bye bye happiness,

D   A
   Hello loneliness,

         E   A
I think I'm-a gonna cry-y.

D   A
Bye bye love,

D   A
Bye bye sweet caress,

D   A
   Hello emptiness,

         E   A
I feel like I could di-ie.

         E   A
Bye bye my love goodby-eye,

Verse 1

N.C.   E   A
There goes my baby with someone new,

         E   A   A7
She sure looks happy, I sure am blue.

         D   E
She was my baby 'til he stepped in,

         A   A7
Goodbye to romance that might have been.

Chorus 2   As Chorus 1

Verse 2

N.C.   **E**
I'm through with romance,

        A
I'm through with love,

        E   **A⁷**
I'm through with countin' the stars above.

      D   **E**
And here's the reason that I'm so free,

        A **A⁷**
My lovin' baby is through with me.

Chorus 3   As Chorus 1

Outro

    A   **E** **A**
Bye bye my love goodby-eye,

Repeat Outro to fade

Cathy's Clown

Words & Music by
Don & Phil Everly

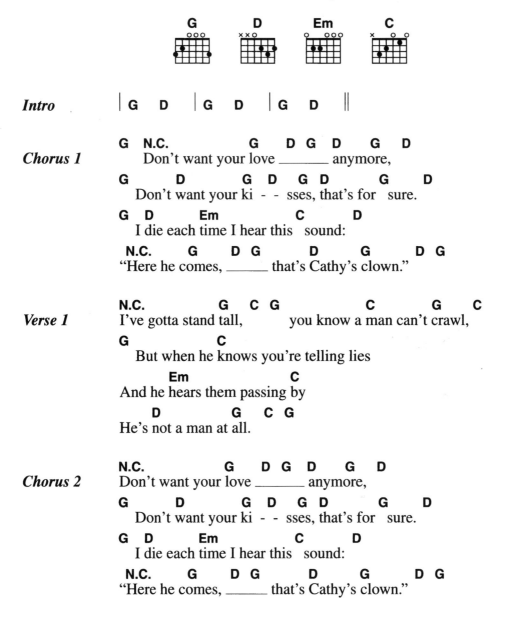

Intro | G D | G D | G D ‖

Chorus 1
G N.C.   G   D G D G   D
Don't want your love _____ anymore,
G   D   G D G D   G   D
Don't want your ki - - sses, that's for sure.
G D   Em   C   D
I die each time I hear this sound:
N.C.   G   D G   D   G   D G
"Here he comes, _____ that's Cathy's clown."

Verse 1
N.C.   G C G   C   G   C
I've gotta stand tall,   you know a man can't crawl,
G   C
But when he knows you're telling lies
       Em   C
And he hears them passing by
      D   G   C G
He's not a man at all.

Chorus 2
N.C.   G   D G D G   D
Don't want your love _____ anymore,
G   D   G D G D   G   D
Don't want your ki - - sses, that's for sure.
G D   Em   C   D
I die each time I hear this sound:
N.C.   G   D G   D   G   D G
"Here he comes, _____ that's Cathy's clown."

Verse 2

N.C.   G   C
When you see me shed a tear

G   C   G   C
   And if you know that it's sincere _____

G   C
   Now don't you think it's kinda sad

            Em   C
That you're treating me so bad

     D   G   C G
Or don't you even   care?

Chorus 3

N.C.   G   D G D   G   D
Don't want your love _____ anymore,

G   D   G D G D   G   D
   Don't want your ki - - sses, that's for   sure.

G D   Em   C   D
   I die each time I hear this   sound:

N.C.   G   D G   D   G   D G
"Here he comes, _____ that's Cathy's clown."

Coda

         D   G   D   G
‖: "That's Cathy's clown."   :‖   *Repeat to fade*

Claudette

Words & Music by
Roy Orbison

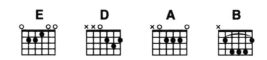

Intro |E D E D E |A |E D E D E |
　　　　　Oh, oh Claudette,

A　　　　　|E D E D E |E　|E　　|
　Oh, oh Claudette,

Verse 1
E
I got a brand new baby and I feel so good,

She loves me even better than I thought she would.

　　　A
I'm on my way to her house,

And I'm plumb outta breath,
　　　　　E　N.C.
And when I see her tonight,

I'm gonna squeeze her to death.

Chorus 1
　　　　　E　A　　　　　E
Claudette, pretty little pet Claudette,
A　　　　　　　　E
Never make me fret Claudette.
　　　　B　　　　　　A
She's the greatest little girl that I've ever met,
　　　　B　　　　　　A
I get the best lovin' that I'll ever get,
　　　　　E
From Claudette.
A　　　　　　E
Pretty little thing Claudette,
A　　|E D E D E |E　　|E　|
Oh, oh Claudette.

Verse 2

          E
Well I'm a lucky man my baby treats me right,

She's gonna let me hug and kiss and hold her tight,
            A
And when the date is over and we're at her front door,
        B   N.C.
When I kiss her good night I'll holler more, more, more.

Chorus 2   As Chorus 1

| E | E | |

Verse 3

          E
When me and my new baby have a date or three,

I'm gonna ask my baby if she'll marry me.
      A
I'm gonna be so happy for the rest of my life,
      B   N.C.
When my brand new baby is my brand new wife.

        E   A   E
Chorus 3   Claudette, pretty little pet Claudette,
A   E
Never make me fret Claudette.
        B   A
She's the greatest little girl that I've ever met,
   B   A
I get the best lovin' that I'll ever get,
        E
From Claudette.
A   E
Pretty little thing Claudette,
A   E D E D E
Oh, oh Claudette,
A   E D E D E
Mmm, mmm Claudette,
A   E D E D E
Oh, oh Claudette.

to fade

Crying In The Rain

Words & Music by
Carole King & Howard Greenfield

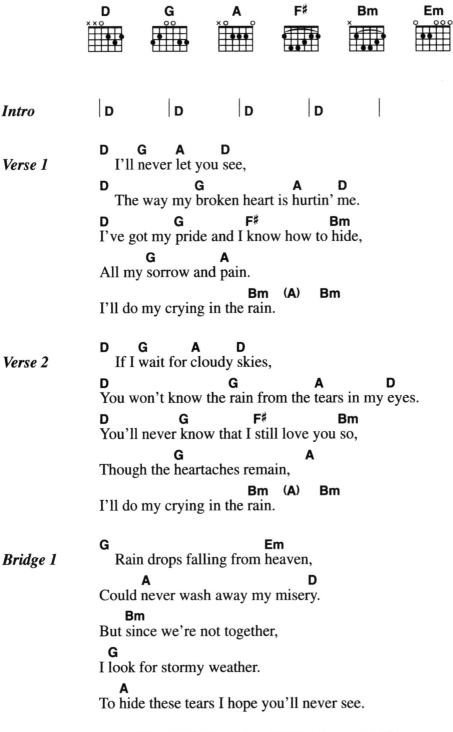

Intro | D | D | D | D |

Verse 1
```
D   G    A    D
    I'll never let you see,
D           G        A    D
    The way my broken heart is hurtin' me.
D       G      F#        Bm
I've got my pride and I know how to hide,
        G         A
All my sorrow and pain.
                Bm   (A)   Bm
I'll do my crying in the rain.
```

Verse 2
```
D   G    A    D
    If I wait for cloudy skies,
D                 G           A         D
You won't know the rain from the tears in my eyes.
D       G      F#         Bm
You'll never know that I still love you so,
        G                   A
Though the heartaches remain,
                Bm   (A)   Bm
I'll do my crying in the rain.
```

Bridge 1
```
G                      Em
   Rain drops falling from heaven,
    A                      D
Could never wash away my misery.
    Bm
But since we're not together,
  G
I look for stormy weather.
    A
To hide these tears I hope you'll never see.
```

Verse 3

    D   **G**   **A**   **D**
Some day when my crying's done,

D   **G**   **A**   **D**
I'm gonna wear a smile and walk in the sun.

  D   **G**   **F♯**   **Bm**
I may be a fool but till then darling you'll,

   G   **A**
Never see me complain.

         Bm **(A)** **Bm**
I'll do my crying in the rain.

         Bm **(A)** **Bm**
I'll do my crying in the rain,

         Bm
I'll do my crying in the rain.

𝄐	
D	𝄂

15

Devoted To You

Words & Music by
Boudleaux Bryant

E   B7   A   G#m   F#m   C#m   F#

Intro

| E | B7 | E | B7 |

Verse 1

E   B7   E
Darling you can count on me,
                          B7   E
'Til the sun dries up the sea,
A   G#m   F#m   E   A B7   E
Until then I'll always be devoted to you.

Verse 2

                          B7   E
I'll be yours through endless time,
                     B7   E
I'll adore your charms sublime,
A   G#m   F#m   E   A B7   E
Guess by now you know that I'm devoted to you.

Chorus 1

F#m   G#m   C#m
I'll never hurt you, I'll never lie,
F#m   B7   E
I'll never be untrue.
F#m   G'm   C'm
I'll never give you reason to cry,
F#   B7
I'd be unhappy if you were blue.

Verse 3

E   B7   E
Through the years my love will grow,
                     B7   E
Like a river it will flow,
A   G#m   F#m   E   A B7   E
It can't die because I'm so devoted to you.

Chorus 2

F#m   G#m   C#m
I'll never hurt you, I'll never lie,

F#m   B7   E
I'll never be untrue.

F#m   G#m   C#m
I'll never give you reason to cry,

F#   B7
I'd be unhappy if you were blue.

Verse 4

E   B7   E
Through the years my love will grow,

          B7   E
Like a river it will flow,

A   G#m F#m   E   A B7   E
It can't die because I'm so devoted to you.

Outro | E | E | B7 | E   ‖

Don't Blame Me

Words by Dorothy Fields
Music by Jimmy McHugh

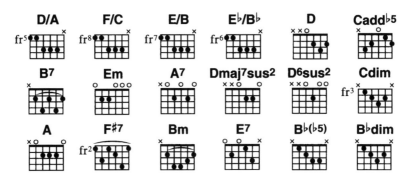

Intro ‖: D/A | F/C | E/B | E♭/B♭ :‖

Verse 1

D   Cadd♭5 B7
Don't blame   me,

    Em   A7   Dmaj7sus2 D6sus2
For falling in love with you.

    Em   A7   C(♭5)   B7
I'm under your spell, but how can I help it?

Em   A   D
Don't blame me.

Verse 2

D   Cadd♭5 B7
Can't you   see,

     Em   A7   Dmaj7sus2 D6sus2
When you do the things you do

    Em   A7   C(♭5)   B7
If I can't conceal, the thrill that I'm feeling

Em   A   D
Don't blame me.

Bridge

G   F#7   Bm
I can't help it, if that dog-goned moon above

E7   Bb(b5) A
Makes me need, someone like you to love.

Verse 3

D   Cadd^{b5} B7
Blame your kiss,

 Em   A7   Dmaj7sus2 D6sus2
As sweet as a kiss can be

  Em   A7   C(b5)   B7
And blame all your charms, that melt in my arms

  Em Bbdim   F/C E/B Eb/Bb D/A
But don't blame me.

Ebony Eyes

Words & Music by
John D. Loudermilk

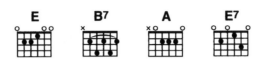

Intro

‖ E | E ‖

Verse 1

    E
On a weekend pass, I wouldn't have had time

B7
To get home and marry that baby of mine,

    E   **A**
So I went to the chaplain and he authorized

    E   **B7** **E** **E7**
Me to send for my Ebony Eyes.

Verse 2

  A   **E**
My Ebony Eyes was coming to me,

     A   **E**   **B7**
From out of the skies on Flight 1203.

    E   **A**
In an hour or two I would whisper "I do"

     E   **B7**   **E**
To my beautiful Ebony Eyes.

Middle

E
   The plane was way overdue,

           B7
So I went inside to the airlines desk and I said:

"Sir, I wonder why 1203 is so late?"

         E
He said "Aww, they probably took off late,

              A
Or they may have run into some turbulent weather

And had to alter their course."

E   **B7**
  I went back outside and I waited at the gate

cont.

                E
And I watched the beacon light from the control tower as it

Whipped through the dark ebony skies
                      A **B7** **E**
As if it were searching for (my E - bony Eyes).
A
   And then came the announcement over the loudspeaker -
E   **A**
   "Would those having relatives or friends on flight number 1203
       E   **B7**
Please report to the chapel across the street at once."

Verse 3
       E
Then I felt a burning break deep inside,
   B7
And I knew the heavenly ebony skies
     E   **E7**   **A**
Had taken my life's most wonderful prize,
     E   **B7** **E**   **E7**
My beautiful Ebony Eyes.

Verse 4
     A   **E**
If I ever get to heaven I'll bet
     A   **E**   **E7**
The first angel I'll recognize
A   **E**
She'll smile at me and I know she will be
   B7   **E**
My beautiful Ebony Eyes.

The Ferris Wheel

Words & Music by
Ronnie & Dewayne Blackwell

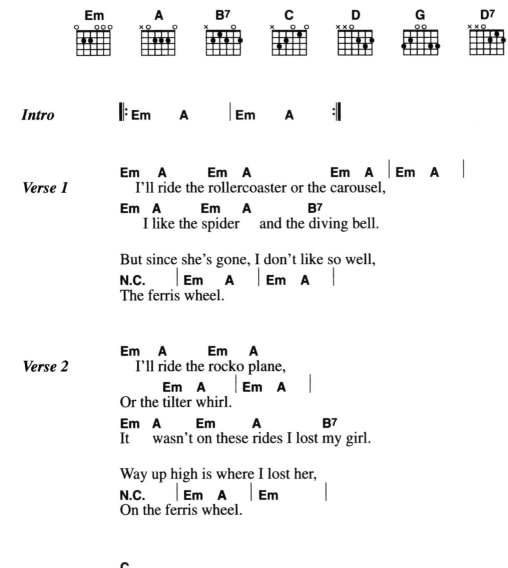

Intro

‖: Em   A |Em   A   :‖

Verse 1

Em A   Em A   Em A |Em A |
I'll ride the rollercoaster or the carousel,
Em A   Em A   B7
I like the spider   and the diving bell.

But since she's gone, I don't like so well,
N.C. |Em   A |Em A |
The ferris wheel.

Verse 2

Em A   Em   A
I'll ride the rocko plane,
       Em A |Em A |
Or the tilter whirl.
Em A   Em   A   B7
It   wasn't on these rides I lost my girl.

Way up high is where I lost her,
N.C. |Em   A |Em |
On the ferris wheel.

Middle

C
Pretty ferris wheel,
D   G
By your coloured light
  D7
I saw someone steal,
           C   B7
A kiss from her that night.

Verse 3

    Em A   Em   A   Em   A | Em A |
    I'll pay my fare and ride the bumper cars,

Em   A   Em   A   B7
    Those funny cars won't make the tear drops start.

But way up there is where she broke my heart,

N.C.   Em   A
On the ferris wheel,

Em   A
    On the ferris wheel.

to fade

23

Gone, Gone, Gone

Words & Music by
Don & Phil Everly

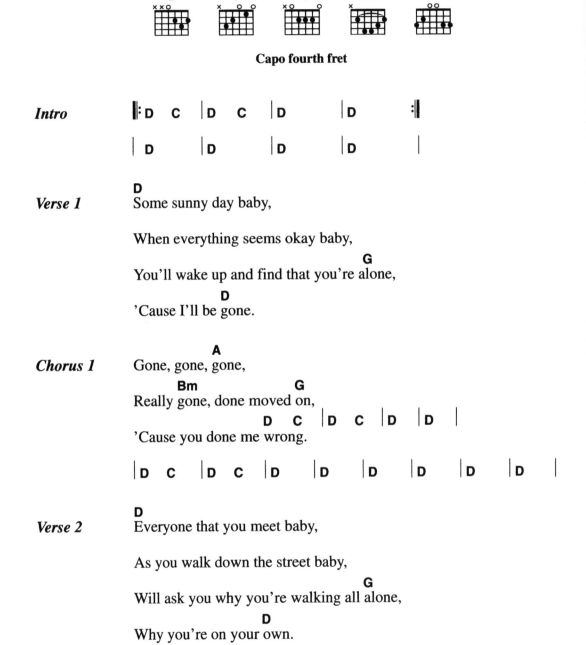

Capo fourth fret

Intro

‖: D C | D C | D | D   :‖

| D | D | D | D |

Verse 1

D
Some sunny day baby,

When everything seems okay baby,

                                G
You'll wake up and find that you're alone,

      D
'Cause I'll be gone.

Chorus 1

      A
Gone, gone, gone,

   Bm   **G**
Really gone, done moved on,

                 D C | D C | D | D |
'Cause you done me wrong.

| D C | D C | D | D | D | D | D | D |

Verse 2

D
Everyone that you meet baby,

As you walk down the street baby,

                              G
Will ask you why you're walking all alone,

          D
Why you're on your own.

Chorus 2

         A
Gone, gone, gone,

   Bm   **G**
Really gone, done moved on,

               D C |**D C** |**D** |**D** |
'Cause you done me wrong.

|**D C** |**D C** |**D** |**D** |**D** |**D** |**D** |**D** |

Verse 3

   D
If you change your ways baby,

You might get me to stay baby,

                                  G
Better hurry up if you don't wanna be alone,

   D
Or I'll be gone.

Chorus 3

         A
Gone, gone, gone,

   Bm   **G**
Really gone, done moved on,

               D C |**D C** |**D** |**D** |
'Cause you done me wrong.

|**D C** |**D C** |**D** |**D** |**D** |**D** |**D** |**D** |

Repeat to fade

How Can I Meet Her

Words & Music by
Gerry Goffin & Jack Keller

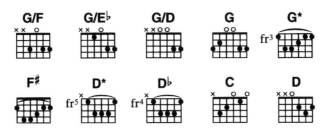

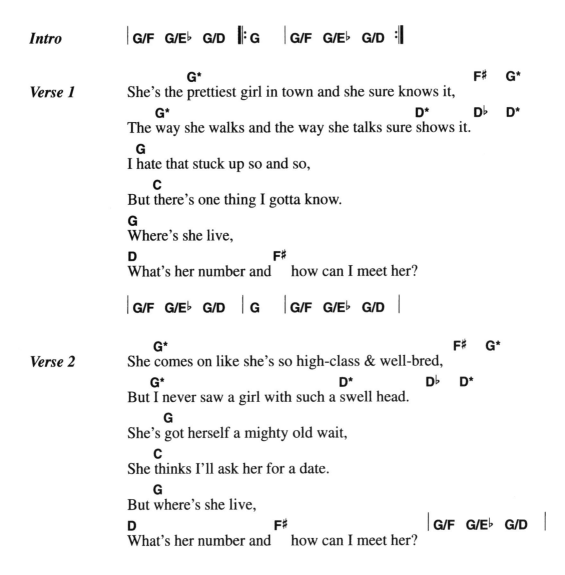

Intro | G/F G/E♭ G/D ‖: G | G/F G/E♭ G/D :‖

Verse 1

        G*   **F♯ G***
She's the prettiest girl in town and she sure knows it,

        G*   **D***   **D♭ D***
The way she walks and the way she talks sure shows it.

  G
I hate that stuck up so and so,

  C
But there's one thing I gotta know.

G
Where's she live,

D   **F♯**
What's her number and   how can I meet her?

| G/F G/E♭ G/D | G | G/F G/E♭ G/D |

Verse 2

        G*   **F♯ G***
She comes on like she's so high-class & well-bred,

        G*   **D***   **D♭ D***
But I never saw a girl with such a swell head.

   G
She's got herself a mighty old wait,

   C
She thinks I'll ask her for a date.

   G
But where's she live,

D   **F♯** | G/F G/E♭ G/D |
What's her number and   how can I meet her?

Bridge

G   G/F G/E♭ G/D G   G/F
 She's in love with herself - you know the kind,

G/E♭ G/D G   G/F G/E♭ G/D
Al - ways putting on airs!

Interlude ‖: G | G | G | G/F G/E♭ G/D :‖

Verse 3

    G*   F♯ G*
The guys in town all think she's Mona Lisa,

    G*   D*   D♭ D*
And she's got them all going out of their way to please her.

    G
Whatever they see is a mystery,

    C
But she don't do a thing to me.

    G
But where does she live,

D   F♯   G/F
What's her number and how can I meet her?

Outro

G/E♭ G/D G G/F
How can I meet her?

G/E♭ G/D G   G/F G/D
How can I meet her?

| G G/F G/D | G G/F G/D | G   ‖

I Wonder If I Care As Much

Words & Music by
Don & Phil Everly

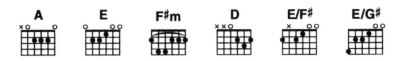

Chorus 1

A
I wonder if I care as much,

    E   **A**   **F♯m A F♯m**
As I did before?

Verse 1

    A   **F♯m**
Last night I cried myself to sleep,

A   **F♯m**
For the one that makes me weep.

   A   **F♯m**
I dried my eyes to greet the day,

     D   **E**   **E/F♯ E/G♯** |**A** |**F♯m** |
And wondered why I had to pay.

    A   **F♯m**
The tears that I have shed by day,

A   **F♯m**
Give relief and wash away.

    A   **F♯m**
The memory of the night before,

    D   **E**   **E/F♯ E/G♯** |**A** |**F♯m** |
I wonder if I'll suffer more.

Chorus 2

A
I wonder if I care as much,

    E   **A**   **F♯m A F♯m**
As I did before?

Verse 2

    A   **F♯m**
My pride is made to say 'forgive',

     A   **F♯m**
And take the blame for what you did,

     A   **F♯m**
Itís your mistake I'm thinking of,

    D   **E**   **E/F♯ E/G♯** |**A** |**F♯m** |
I wonder if I'm still in love?

cont.

       A   **F♯m**
My heart can't thrive on misery,

       A   **F♯m**
My life, it has no destiny.

        A   **F♯m**
When things get more than I can bear,

    D   **E**   **E/F♯ E/G♯** | **A** | **F♯m** |
I ask myself 'do I still care?'

Chorus 3   **A**
I wonder if I care as much,

     E   **A**   **F♯m A F♯m**
As I did before?

to fade

I'll Never Get Over You

Words & Music by
Don & Phil Everly

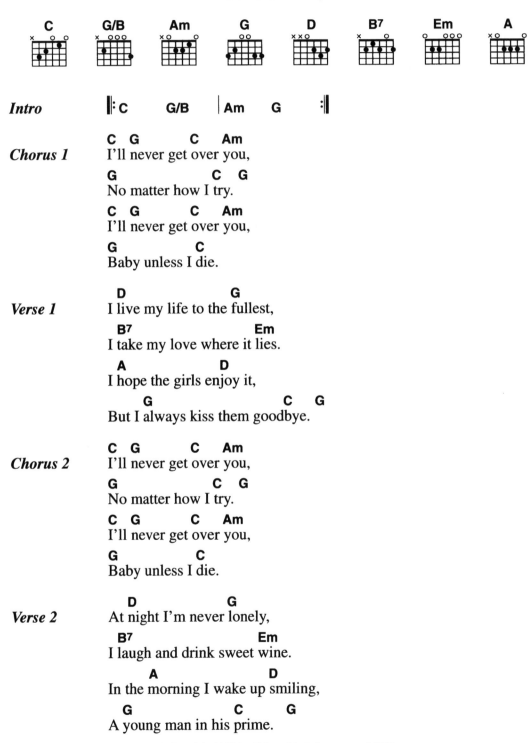

Intro

‖: C   G/B | Am   G   :‖

Chorus 1

C G   C   Am
I'll never get over you,
G   C   G
No matter how I try.
C G   C   Am
I'll never get over you,
G   C
Baby unless I die.

Verse 1

D   G
I live my life to the fullest,
B7   Em
I take my love where it lies.
A   D
I hope the girls enjoy it,
G   C   G
But I always kiss them goodbye.

Chorus 2

C G   C   Am
I'll never get over you,
G   C   G
No matter how I try.
C G   C   Am
I'll never get over you,
G   C
Baby unless I die.

Verse 2

D   G
At night I'm never lonely,
B7   Em
I laugh and drink sweet wine.
A   D
In the morning I wake up smiling,
G   C   G
A young man in his prime.

Chorus 3

C G   C   Am
I'll never get over you,

G   C G
No matter how I try.

C G   C   Am
I'll never get over you,

G   C
Baby unless I die.

Verse 3

D   G
I may live to be a hundred,

B7   Em
A long and happy life.

A   D
But there's one thing you can bet on,

G   C   G
I'll never have a wife.

Chorus 4

C G   C   Am
I'll never get over you,

G   C G
No matter how I try.

C G   C   Am
I'll never get over you,

G   C
Baby unless I die.

Repeat chorus to fade

Lay It Down

Words & Music by
Gene Thomas

D   F#m   G   A   Em   C   F   G/B

Capo third fret

Intro

| D | F#m | G | A | D | D | |

Verse 1

D   F#m
Travelling down our different roads,
G   Em   A
Trying hard to   leave the load.
D   F#m
Take it there but we can't let go.
G   A   D   G | A   G   A |
It's so hard to lay it down.

Bridge 1

D   C   G
Back in Eden we were tried,
F   C
Found ourselves dissatisfied,
G   D
Seeking wisdom she denied,
G   A   D   G | A   G   A |
Trying hard to lay it down.

Chorus 1

D
Lay it down brother,
F#m
Lay it down,
G   A   D   G | A   G   A |
So hard to lay it down.

Verse 2

D   F#m
Hide in me, confide in me,
G   Em   A
Don't you think it's time to be
D   F#m
Everything we've tried to be,
G   A   D   G | A   G   A |
You and me should lay it down.

Bridge 2
     D   **C G**
So speak to me, be unashamed.
     F   **C**
    There's no need in playing games.
     G   **D**
    After all, we're all the same,
     G   **A**   **D**   **G** |**A**   **G** **A**|
    Trying hard to lay it down.

Chorus 2   As Chorus 1

Verse 3
     D   **F♯m**
    Wish my words could make it well,
     G   **Em**   **A**
    Wish that I could break the shell.
     D   **F♯m**
    Take us from our self made hell,
     G   **A**   **D**   **G** |**A**   **G** **A**|
    Find a way to lay it down.

Bridge 3
     D   **C**   **G**
    Burdened by the things I've learned,
     F   **C**
    Curtain calls I'm too concerned,
     G   **D**
    None the less I confess I yearn,
     G   **A**   **D**   **G** |**A** **G** **A**|
    To find a way to lay it down.

Chorus 3   As Chorus 1

     Repeat Chorus to fade

Let It Be Me

Original Words by Pierre Delanoe
Music by Gilbert Becaud
English Words by Mann Curtis

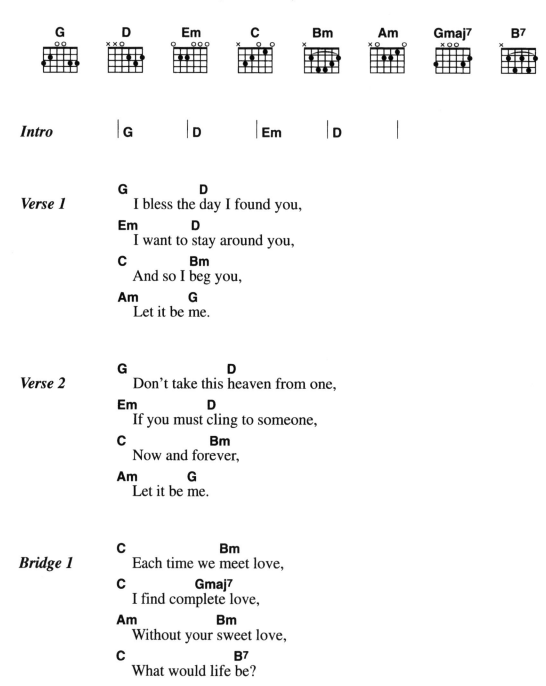

| G | D | Em | C | Bm | Am | Gmaj7 | B7 |

Intro | G | D | Em | D |

Verse 1

G　　　　　D
I bless the day I found you,

Em　　　　D
I want to stay around you,

C　　　　Bm
And so I beg you,

Am　　　　G
Let it be me.

Verse 2

G　　　　　　D
Don't take this heaven from one,

Em　　　　　D
If you must cling to someone,

C　　　　　Bm
Now and forever,

Am　　　G
Let it be me.

Bridge 1

C　　　　　Bm
Each time we meet love,

C　　　　　Gmaj7
I find complete love,

Am　　　　　Bm
Without your sweet love,

C　　　　　　　B7
What would life be?

Verse 3

G   **D**
So never leave me lonely,

Em   **D**
Tell me you love me only,

C   **Bm**
And that you'll always,

Am   **D**   **G**
Let it be me.

Bridge 2

C   **Bm**
Each time we meet love,

C   **Gmaj7**
I find complete love,

Am   **Bm**
Without your sweet love,

C   **B7**
What would life be?

Verse 4

G   **D**
So never leave me lonely,

Em   **D**
Tell me you love me only,

C   **Bm** | **Am** |
And that you'll always,

D   **G**
Let it be me.

Love Hurts

Words & Music by
Boudleaux Bryant

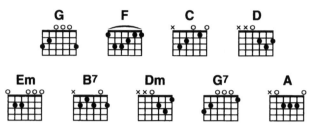

Tune down a semitone

Intro

| G | G   F C | G   F |

Verse 1

   D G   Em
Love hurts, love scars,
       C   D
Love wounds, and marrs,
     G   Em
Any heart, not tough,
    C   D
Nor strong enough.
             G
To take a lot of pain,
B7   **Em**
Take a lot of pain.
Dm   **C**
Love is like a cloud,
          D
Holds a lot of rain.
      G   F
Love hurts,
C **G**   **F**
Love hurts.

Verse 2

   D G   Em
I'm young, I know,
     C   D
But even so,
        G   Em
I know a thing or two,
     C   D
I've learned from you.

cont.

                    G
I've really learned a lot,

B7   **Em**
Really learned a lot,

Dm   **C**
Love is like a stove,

                  D
Burns you when it's hot.

    G   **F**
Love hurts,

C   **G** | **G7** |
Love hurts.

Verse 3

C   **B7**   **Em**
Some fools rave of happiness,

B7   **Em**
Blissfulness,

B7   **Em**
Togetherness.

A
Some fools fool themselves I guess,

                     D
But they're not fooling me.

N.C.   **G**
I know it isn't true,

B7   **Em**
Know it isn't true,

Dm   **C**
Love is just a lie,

                 D
Made to make you blue.

    G   **F**
Love hurts,

C   **G**   **F**
Love hurts,

C   **G**
Love hurts

to fade

Love Is Strange

Words & Music by
Ethel Smith, Sylvia Robinson & Mickey Baker

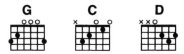

Capo first fret. Tune guitar slightly flat.

Intro ‖: G C | G C | G C | G C :‖

Verse 1

G   C   G   C
Love,   love is strange, yeah,

D   G   C D   G   C
Lots of people   take it for a pain.

D   G   C   D   G   C
Once you've got it,   you never wanna quit, no, no.

D   G   C   D   G   C
After you've had it,   you're in an awful fix.

D   G   C D   G
Love is strange,   love is strange.

Interlude | G C | G C | G C |

G   C
   Hey, Don?

             G
What, Phil?

C   G   C
How would you call your baby home?

G   C
   Well, if I needed her real bad,

 G   C | G C | G C |
I guess I would call her like this:

Middle

G   C D   G   C
Baby,   oh sweet baby

D   G   C D   G | C   D |
My sweet baby,   please come home

Interlude | G C | G C |

G   C   G   C
  Yeah, that ought to bring her home, Don!

Verse 2

```
          G     C D        G         C
People     don't understand, no, no.

D        G     C D         G      C
They think love is   money in the hand.

D         G      C   D          G      C
Your sweet loving   is better than a kiss, yeah, yeah.

D       G       C    D    G     C
When you love me, sweet kisses I miss,

D     G      C  D    G
Love is strange,   love is strange.
```

Outro   ‖: G   C | G   C :‖   *Repeat to fade*

Like Strangers

Words & Music by
Boudleaux Bryant

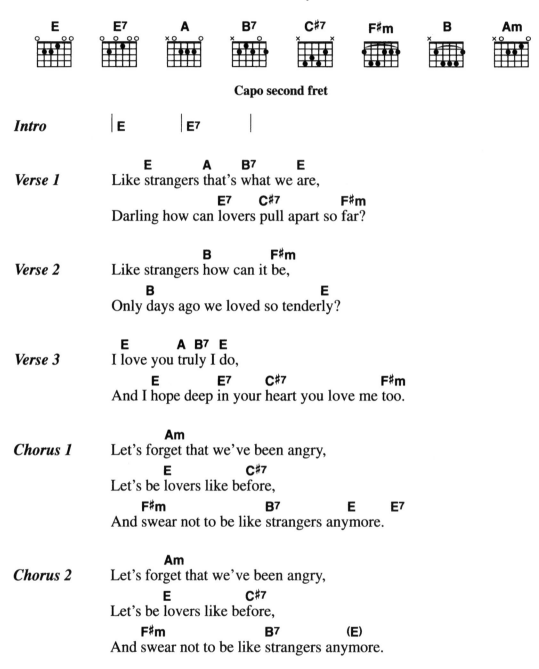

Capo second fret

Intro | E | E7 |

Verse 1
              E   A   B7   E
Like strangers that's what we are,
                     E7   C#7   F#m
Darling how can lovers pull apart so far?

Verse 2
                     B   F#m
Like strangers how can it be,
        B   E
Only days ago we loved so tenderly?

Verse 3
         E   A B7 E
I love you truly I do,
              E   E7   C#7   F#m
And I hope deep in your heart you love me too.

Chorus 1
           Am
Let's forget that we've been angry,
      E   C#7
Let's be lovers like before,
   F#m   B7   E   E7
And swear not to be like strangers anymore.

Chorus 2
           Am
Let's forget that we've been angry,
      E   C#7
Let's be lovers like before,
   F#m   B7   (E)
And swear not to be like strangers anymore.

Poor Jenny

Words & Music by
Boudleaux & Felice Bryant

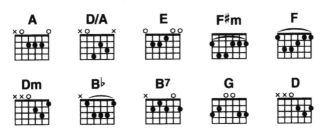

Capo first fret

Intro

| A D/A A | A D/A A | A D/A A | E | |

Verse 1

         A   **F♯m**
I took my little Jenny to a party last night,

      F   **Dm**
At one o'clock it ended in a heck of a fight,

          B♭
When someone hit my Jenny,

           A   **F♯m**
She went out like a light,

B7   **E**
   Poor Jenny.

Verse 2

          A
And then some joker went and called

       F♯m
The cops on the phone.

       F   **Dm**
So everybody scattered out for places unknown,

 B♭   **A**   **F♯m**   **B7**
I couldn't carry Jenny so I left her alone,

E   **A**
   Poor Jenny.

Bridge 1

         A   **G**   **A**   **G**
Well Jenny had her picture in the paper this morning,

 D
   She made it with a bang.

   B7
According to the story in the paper this morning,

E   **N.C.**   **E**
Jenny is the leader of a teenage gang.

Verse 3

```
         A                          F#m
Jenny has a brother and he's hot on my trail,
         F                          Dm
Her daddy wants to ride me out of town on a rail.
         Bb                        A       F#m    B7
I hope I'll be around when Jenny gets out of jail,
         E        A
    Poor Jenny.
```

Interlude | A   D/A A | A   D/A A | A   D/A A | E |

Verse 4

```
         A
I went downtown to see her,
              F#m
She was locked in a cell
              F
She wasn't very glad to see me,
Dm
That I could tell
         Bb
In fact, to tell the truth,
                A       F#m
She wasn't lookin' too well,
B7        E
    Poor Jenny.
```

Verse 5

```
         A
Her eye was black, her face was red,
         F#m
Her hair was a fright
         F
She looked as though she'd been a'cryin',
Dm
Half of the night.
         Bb
I told her I was sorry,
                A       F#m       B7
She said "Get out of sight",
E        A
    Poor Jenny.
```

Bridge 2

       A   **G**   **A**   **G**
It seems a shame that Jenny had to go get apprehended,

D
   A heck of a fate.

    B7
This party was the first one she ever had attended,

E   **N.C.**   **E**
   It had to happen on our very first date.

Verse 6

   A   **F♯m**
Jenny has a brother and he's hot on my trail,

     F   **Dm**
Her daddy wants to ride me out of town on a rail.

  B♭   **A**   **F♯m**   **B7**
I hope I'll be around when Jenny gets out of jail,

E   **A**
   Poor Jenny.

Outro |**A**   **D/A A** |**A**   **D/A A** |**A**   **D/A A** | *to fade*

The Price Of Love

Words & Music by
Don & Phil Everly

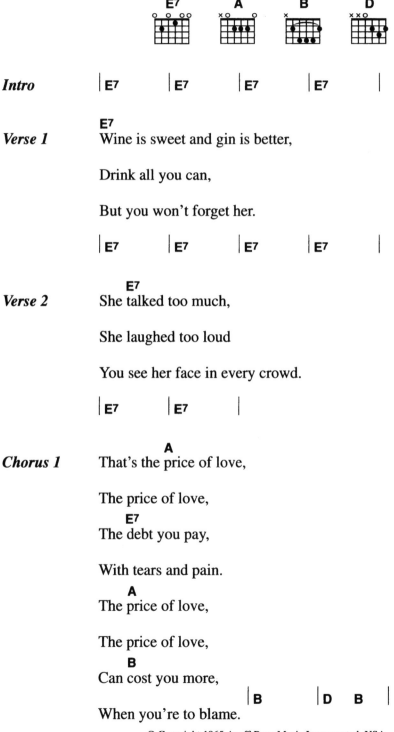

E7   A   B   D

Intro | E⁷ | E⁷ | E⁷ | E⁷ |

Verse 1
E⁷
Wine is sweet and gin is better,

Drink all you can,

But you won't forget her.

| E⁷ | E⁷ | E⁷ | E⁷ |

Verse 2
E⁷
She talked too much,

She laughed too loud

You see her face in every crowd.

| E⁷ | E⁷ |

Chorus 1
A
That's the price of love,

The price of love,
E⁷
The debt you pay,

With tears and pain.
A
The price of love,

The price of love,
B
Can cost you more,
| B | D   B |
When you're to blame.

Interlude | E⁷ | E⁷ | E⁷ | E⁷ |

Verse 3

E⁷
Kiss one girl,

Kiss another.

Kiss 'em all but you won't recover.

| E⁷ | E⁷ | E⁷ | E⁷ |

Verse 4

        E⁷
You're dancing slow,

You're dancing fast,

You're happy now,

But that won't last.

| E⁷ | E⁷ |

Chorus 2

        A
That's the price of love,

The price of love,
   E⁷
The debt you pay,

With tears and pain.
   A
The price of love,

The price of love,
   B
Can cost you more,

When you're to blame.

| B | D B |

Outro   ‖: E⁷ | E⁷   :‖   *to fade*

Problems

Words & Music by
Boudleaux & Felice Bryant

G **C** **D7** **D** **G7** **F** **C/E** **G/D**

Capo fourth fret

Intro
(riff)
‖: G C G G C G :‖

Verse 1
G   C   G (riff)
Problems, problems, problems all day long,
G   C   G (riff)
Will my problems work out right or wrong?
D7   C   G
My baby don't like anything I do,
D7   C   G |C D |
My teacher seems to feel the same way too.

Verse 2
G   C   G (riff)
Worries, worries pile up on my head,
G   C   G (riff)
Woe is me I should have stayed in bed.
D7   C   G
Can't get the car, my marks ain't been so good,
D7   C   G |G7 |
My love life just ain't swingin' like it should.

Chorus 1
C   G F C/E G/D
Problems, problems, problems,
D   G |F C/E G/D|
They're all on account of my loving you like I do.
C   G F C/E G/D
Problems, problems, problems,
D   C   G |G |
They won't be solved until I'm sure of you.
D   C   G |C D |
You can solve my problems with a love that's true,

Outro
G   C   G (riff)
Problems, problems, problems all day long.
G   C   G (riff)
Problems, problems, problems all day long. *Repeat to fade*

Sleepless Nights

Words & Music by
Boudleaux & Felice Bryant

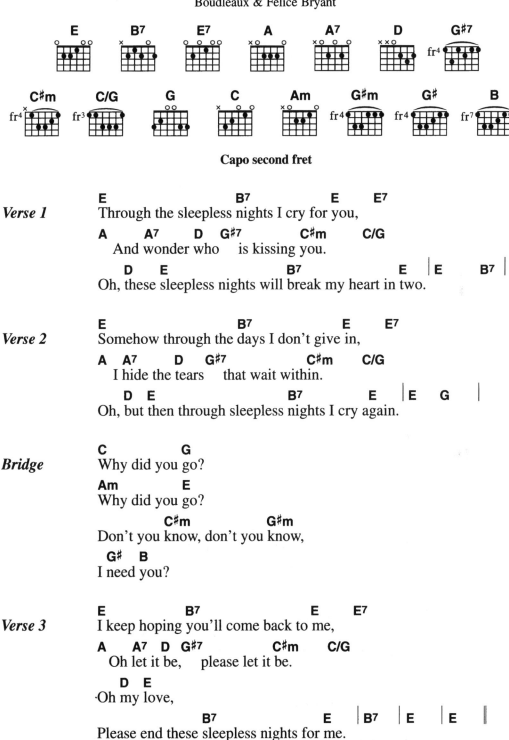

Capo second fret

Verse 1

    E   B7   E   E7
Through the sleepless nights I cry for you,

   A   A7   D G♯7   C♯m   C/G
   And wonder who   is kissing you.

     D   E   B7   E |E   B7 |
Oh, these sleepless nights will break my heart in two.

Verse 2

    E   B7   E   E7
Somehow through the days I don't give in,

   A A7   D G♯7   C♯m   C/G
   I hide the tears   that wait within.

     D   E   B7   E |E   G |
Oh, but then through sleepless nights I cry again.

Bridge

    C   G
Why did you go?

    Am   E
Why did you go?

          C♯m   G♯m
Don't you know, don't you know,

   G♯   B
I need you?

Verse 3

    E   B7   E   E7
I keep hoping you'll come back to me,

   A   A7 D G♯7   C♯m   C/G
   Oh let it be,   please let it be.

     D   E
·Oh my love,

                  B7   E |B7 |E |E   ‖
Please end these sleepless nights for me.

(So It Was…So It Is) So It Always Will Be

Words & Music by
Arthur Altman

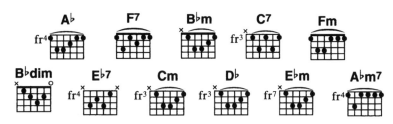

Intro

| A♭ | A♭ |

Verse 1

A♭   F7
I loved you from the moment you
B♭m   C7
Smiled and said "hello" to me,

Chorus 1

  A♭ Fm B♭m B♭dim
So it was, so it is, and darling
E♭7   A♭
  So it always will be.

Verse 2

 A♭   F7
You spoke and I was captured
 B♭m   C7
For everyone around to see,

Chorus 2

  A♭ Fm B♭m B♭dim
So it was, so it is, and darling
E♭7   A♭
  So it always will be.

Bridge

                       Cm
It's been a thrilling mystery,

                F7
What you could see in me

       B♭m   **B♭dim**
That night right from the very start.

              Fm
What made you look my way,

    D♭   **B♭m**
And give me the chance to say

             C7   **E♭7**
What was in my heart.

Verse 3

     A♭   **F7**
My heart said you're my one love,

     B♭m   **C7**
Without you there's no life for me,

Chorus 3

     A♭   **Fm**   **B♭m**   **B♭dim**
So it was, so it is, and darling

E♭7   **A♭m7** **F7**
  So it always will be.

Outro

B♭m   **B♭dim**
  So it al - ways will be.

| **A♭** | **A♭** | |

So Sad
(To Watch Good Love Go Bad)

Words & Music by
Don Everly

| B7 | E | A | F#m | C#m | B | E7 |

fr⁴ (on C#m)

Intro | (B7) | E | E |

Verse 1
E   A   F#m   B7
We used to have good times together,
E   A   F#m   B7
But now I feel them slip away.
E   A
It makes me cry,
E   C#m
To see love die.
E   A   B   E | B7 |
So sad to watch good love go bad.

Verse 2
E   A   F#m   B7
Remember how you used to feel dear,
E   A   F#m   B7
You said nothing could change your mind.
E   A
It breaks my heart,
E   C#m
To see us part,
E   A   B   E | E7 |
So sad to watch good love go bad.

Bridge
A   F#m
Is it any wonder,
B   E
That I feel so blue,
A   F#m
When I know for certain,
F#7 |B7   A |
That I'm losing you?

Verse 3

      E   A   F♯m   B7
Remember how you used to feel dear,

      E   A   F♯m B7
You said nothing could change your mind.

      E   A
It breaks my heart,

      E   C♯m
To see us part,

      E   A   B   E | E7 |
So sad to watch good love go bad.

Outro

      E   A   (B)   E
So sad to watch good love go bad.

Take A Message To Mary

Words & Music by
Boudleaux & Felice Bryant

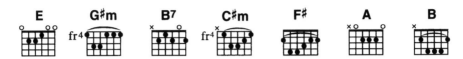

Intro

E
These are the words of a frontier lad,

G♯m   B7
Who lost his love when he turned bad.

| (E) | (E) |

Verse 1

E   B7   E
   Take a message to Mary, but don't tell her where I am,

E   B7   E
   Take a message to Mary, but don't say I'm in a jam.

    C♯m   G♯m
You can tell her I had to see the world,

    C♯m   F♯   B7
Or tell her that my ship set sail.

      E   G♯m   A   E
You can say she better not wait for me,

   C♯m   B C♯m
But don't tell her I'm in jail.

    E   B7   E
Oh, don't tell her I'm in jail.

Verse 2

E   B7   E
   Take a message to Mary, but don't tell her what I've done.

Please don't mention the stagecoach,

   B7   E
And the shot from a careless gun.

    C♯m   G♯m
You can tell her I had to change my plans,

    C♯m   F♯   B7
And cancel out the wedding day.

cont.

       E   G#m   A   E
But please donít mention my lonely cell,

         C#m   B C#m
Where I'm gonna pine a - way,

      E   B7   E
Until my dying day.

Verse 3

      E   B7   E
    Take a message to Mary, but don't tell her all you know.

My heart's aching for Mary,

      B7   E
Lord knows I miss her so.

        C#m   G#m
Just tell her I went to Timbuktu,

    C#m   F#   B7
Tell her I'm searching for gold.

          E   G#m   A   E
You can say she better find someone new,

        C#m   B C#m
To cherish and to hold.

        E   B7   E
Oh, Lord, this cell is cold.

     E   C#m
Mary, Mary,

        E   B7   E
Oh, Lord this cell is cold.

Temptation

Words by Arthur Freed
Music by Nacio Herb Brown

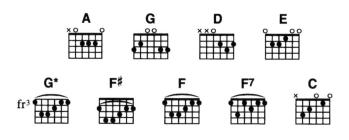

Intro

| A | | G | N.C. |
Yeah, yeah, yeah - ah.

| A | | G | N.C. |
Yeah, yeah, yeah - ah.

| A | | G | N.C. |
Yeah, yeah, yeah - ah.

| A | G | A | D E |

Verse 1

A   G   A G
You came,   I was alone,___

        A G
I should have known,___

          A | D E |
You were temptation.

A   G   A G
You sighed,   leading me on,___

        A G
I should have known,

         A | A |
You were temptation.

Chorus 1

         G*
It would be thrilling,

        F#
If you were willing,

         F   F7
But if it can never be,

        E
Well then pi - i - i - ty me.

Verse 2

```
A        G           A    G
You were     born to be kissed,___
             A   G
I can't resist,___
                    A        | D  E  |
You are temptation.
            A        G        D  G
I'm yours,     here is my heart,___
                  D        C
Take it and claim,___
                  D        C
We'll never part___
                  D        C
I'm just a slave,___
            D      | D         |
Only a slave.___
```

Outro

```
A                    G  N.C.
Yeah, yeah, yeah - ah.
A                    G  N.C.
Yeah, yeah, yeah - ah.
A                    G  N.C.
Yeah, yeah, yeah - ah.

| A    | G    | A    | G      |

A                    G  N.C.
Yeah, yeah, yeah - ah.
A                    G  N.C.
Yeah, yeah, yeah - ah.
A                    G  N.C.
Yeah, yeah, yeah - ah.
```

Repeat to fade

('Til) I Kissed You

Words & Music by
Don Everly

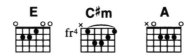

Capo second fret

Intro

| E   C#m | E   C#m |

Verse 1

E   C#m   E   C#m
Never felt like this until I kissed ya,

E   C#m   E   C#m
How did I exist until I kissed ya?

E
Never had you on my mind,

A
Now you're there all the time.

E   C#m   E
Never knew what I missed 'til I kissed ya,

C#m   E   C#m
Uh-huh, I kissed ya,   oh yeah.

Verse 2

E   C#m   E
Things have really changed since I kissed ya,

C#m
Uh-huh.

E   C#m   E
My life's not the same now that I kissed ya,

C#m
Oh yeah.

E
Mmm, you got a way about ya,

A
Now I can't live without ya.

E   C#m   E
Never knew what I missed 'til I kissed ya,

C#m   E   C#m
Uh-huh, I kissed ya,   oh yeah.

Chorus 1

                              E
You don't realise what you do to me,

        C♯m   **E**
And I didn't realise what a kiss could be.

   E
    Mmm, you got a way about ya,

   A
    Now I can't live without ya.

   E   **C♯m**   **E**
    Never knew what I missed 'til I kissed ya,

C♯m   **E**   **C♯m**
    Uh-huh, I kissed ya,   oh yeah.

Chorus 2

                                E
You don't realise what you do to me,

        C♯m   **E**
And I didn't realise what a kiss could be.

   E
    Mmm, you got a way about ya,

   A
    Now I can't live without ya.

   E   **C♯m**   **E**
    Never knew what I missed 'til I kissed ya,

C♯m   **E**   **C♯m**
    Uh-huh, I kissed ya,   oh yeah.

Outro

    E   **C♯m**
I kissed ya,   uh-huh,

    E   **C♯m**
I kissed ya,   oh yeah.

to fade

Wake Up Little Susie

Words & Music by
Boudleaux & Felice Bryant

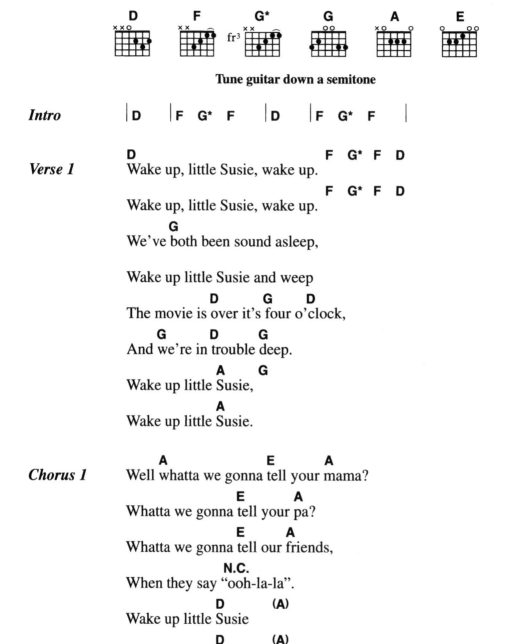

Tune guitar down a semitone

Intro

| D | F G* F | D | F G* F | |

Verse 1

D
Wake up, little Susie, wake up.   F G* F D

F G* F D
Wake up, little Susie, wake up.

G
We've both been sound asleep,

Wake up little Susie and weep

      D   G   D
The movie is over it's four o'clock,

    G   D   G
And we're in trouble deep.

        A   G
Wake up little Susie,

        A
Wake up little Susie.

Chorus 1

      A   E   A
Well whatta we gonna tell your mama?

          E   A
Whatta we gonna tell your pa?

          E   A
Whatta we gonna tell our friends,

         N.C.
When they say "ooh-la-la".

       D   (A)
Wake up little Susie

       D   (A)
Wake up little Susie.

Middle

      D
Well I told your mama

That you'd be in by ten.
    G
Well Susie baby looks like we goofed again.
       A   **G**
Wake up little Susie,
       A   **N.C.**
Wake up little Susie,
           D |**F G* F D** |**F G* F**
We gotta go home.

Verse 2

D   **F G* F D**
Wake up, little Susie, wake up.
                          F G* F D
Wake up, little Susie, wake up.
   G
The movie wasn't so hot,

It didn't have much of a plot
       D   **G**   **D**
We fell asleep our goose is cooked,
    G D   **G**
Our reputation is shot
       A   **G**
Wake up little Susie
       A
Wake up little Susie,

Chorus 2

      A   **E**   **A**
Well whatta we gonna tell your mama?
           E   **A**
Whatta we gonna tell your pa?
           E   **A**
Whatta we gonna tell our friends,
         N.C.
When they say "ooh-la-la".
        D   **(A)**
Wake up little Susie
        D   **(A)**
Wake up little Susie.

Outro

      D
Wake up little Susie.

Walk Right Back

Words & Music by
Sonny Curtis

Capo fourth fret

Intro | A | A |

Verse 1
        A
I want you to tell me why you, walked out on me,
               E
I'm so lonesome every day.

I want you to know that since you, walked out on me,
               A
Nothing seems to be the same old way.

Chorus 1
        A
Think about the love that burns within my heart for you,
               D   **Bm**
The good times we had before you went away, oh me.
D
Walk right back to me this minute,
A
Bring your love to me, don't send it.
E   **A** | A |
I'm so lonesome every day.

Verse 2
        A
I want you to tell me why you, walked out on me,
               E
I'm so lonesome every day.

I want you to know that since you, walked out on me,
               A
Nothing seems to be the same old way.

Chorus 2

       A
Think about the love that burns within my heart for you,

                                         D   **Bm**
The good times we had before you went away, oh me.

       D
Walk right back to me this minute,

       A
   Bring your love to me, don't send it.

       E   **A**
I'm so lonesome every day.

Outro

       E   **A**
I'm so lonesome every day.

Repeat to fade

When Will I Be Loved

Words & Music by
Phil Everly

Capo second fret

Intro | A | A D | A | A D |

Chorus 1
A   D
I've been made blue,
A   D
I've been lied to,
A   D   A |D   E |
When will I be loved?
A   D
I've been turned down,
A   D
I've been pushed 'round,
A   D   A |A7 |
When will I be loved?

Verse 1
D   E   D   A
When I meet a new girl,   that I want for mine,
      D   E
She always breaks my heart in two,
     D   E
It happens every time.

Chorus 2
A   D
I've been cheated,
A   D
Been mistreated,
A   D   A |A7 |
When will I be loved?

Verse 2

```
        D                 E       D              A
        When I meet a new girl,    that I want for mine,
            D             E
        She always breaks my heart in two,
            D               E
        It happens every time.
```

Chorus 3

```
        A   D
        I've been cheated,
        A       D
           Been mistreated,
        A        D       A    | A⁷          |
           When will I be loved?
```

Outro

```
        A            D   A    | A⁷       |
           When will I be loved?
```

Repeat to fade

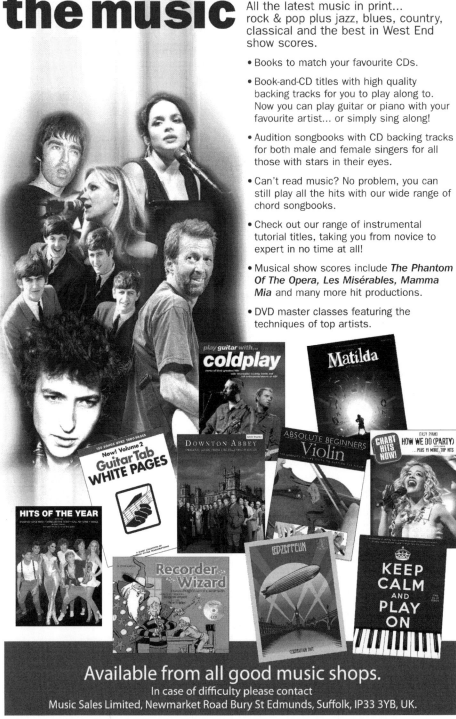